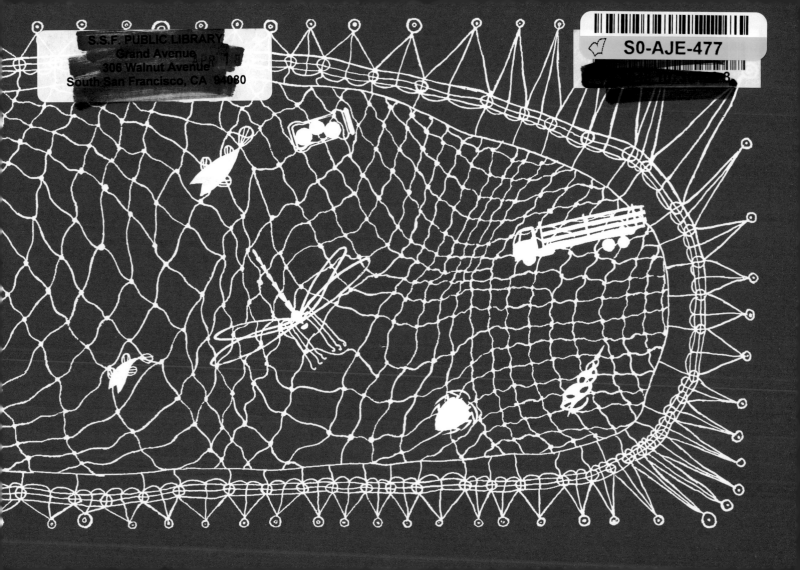

ESTE LIVRO FOI DOADO PELA

COMUNIDADE BRASILEIRA DA BAÍA DE

SAN FRANCISCO

THIS BOOK IS DONATED BY THE THE

BRAZILIAN COMMUNITY

Para os amigos
Leitores
DA Biblioteca,
Do

2018

João por um fio

João por um fio

TEXTO E DESENHOS
DE ROGER MELLO

Companhia das Letrinhas

GRAFIA ATUALIZADA SEGUNDO O ACORDO ORTOGRÁFICO DA LÍNGUA PORTUGUESA
DE 1990, QUE ENTROU EM VIGOR NO BRASIL EM 2009.

REVISÃO
ARLETE SOUSA
THAIS TOTINO RICHTER

ATUALIZAÇÃO ORTOGRÁFICA:
ACOMTE

DADOS INTERNACIONAIS DE CATALOGAÇÃO NA PUBLICAÇÃO (CIP)
(CÂMARA BRASILEIRA DO LIVRO, SP, BRASIL)

MELLO, ROGER
    JOÃO POR UM FIO / TEXTO E DESENHOS DO AUTOR. — SÃO
PAULO : COMPANHIA DAS LETRINHAS, 2005.

    ISBN 978-85-7406-232-3

    I. LITERATURA INFANTOJUVENIL I. TÍTULO.

07-8604   CDD-028.5

ÍNDICES PARA CATÁLOGO SISTEMÁTICO:
1. LITERATURA INFANTIL 028.5
2. LITERATURA INFANTOJUVENIL 028.5

3ª REIMPRESSÃO

2012

TODOS OS DIREITOS DESTA EDIÇÃO RESERVADOS À
EDITORA SCHWARCZ S.A.
RUA BANDEIRA PAULISTA, 702, CJ. 32
04532-002 — SÃO PAULO — SP — BRASIL
TELEFONE: (11) 3707 3500
FAX: (11) 3707 3501
WWW.COMPANHIADASLETRINHAS.COM.BR
WWW.BLOGDACOMPANHIA.COM.BR

Para as crianças da
Ilha de Uros, no Lago Titicaca

ANTES DE DORMIR O MENINO PUXA A COBERTA:

— AGORA SOU SÓ EU COMIGO?

DE QUE TAMANHO É A
COLCHA QUE COBRE JOÃO?

DO TAMANHO DA CAMA?

OU DO TAMANHO DA NOITE?

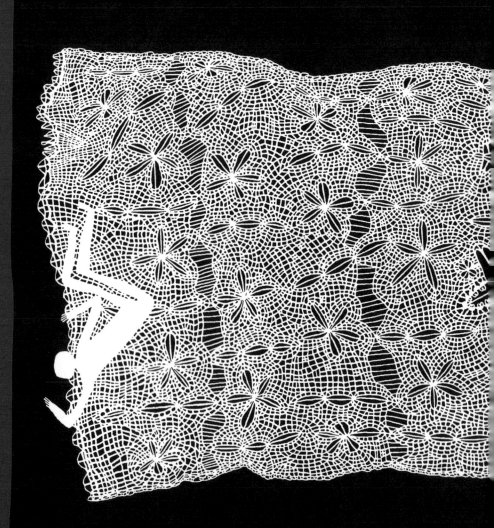

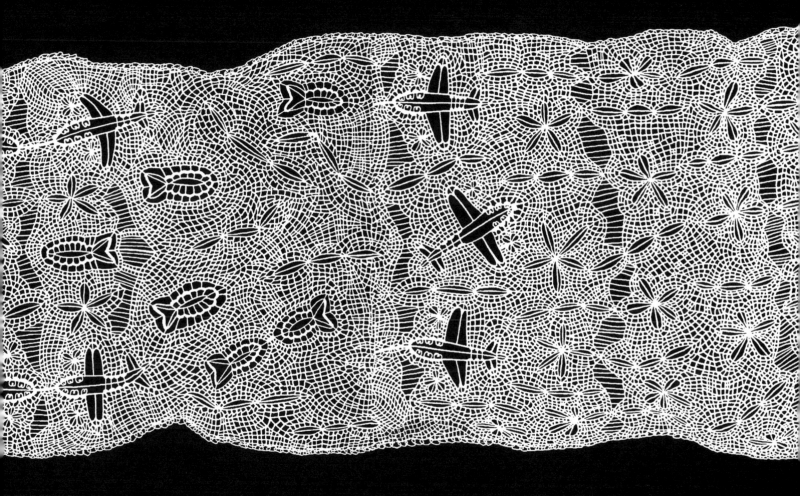

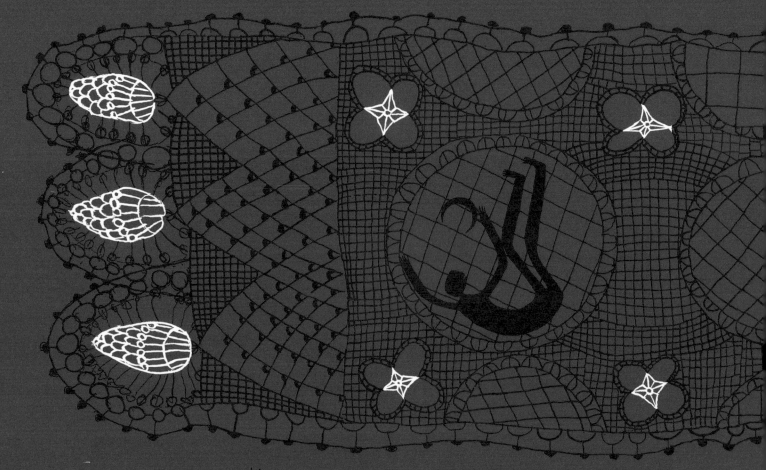

UM BEIJO NA TESTA AINDA BEIJA.

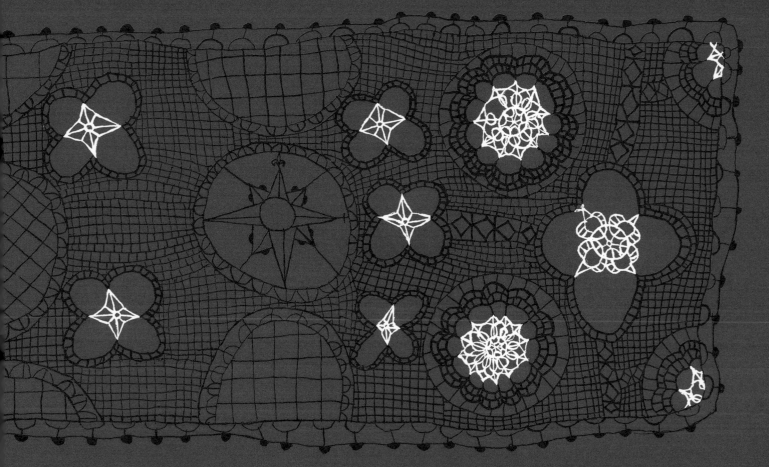

ONDE É QUE SE ESCONDE A NOITE QUE BEIJA JOÃO?

NO FIO DE UMA CANTIGA?

DEPENDURADA NO VENTO?

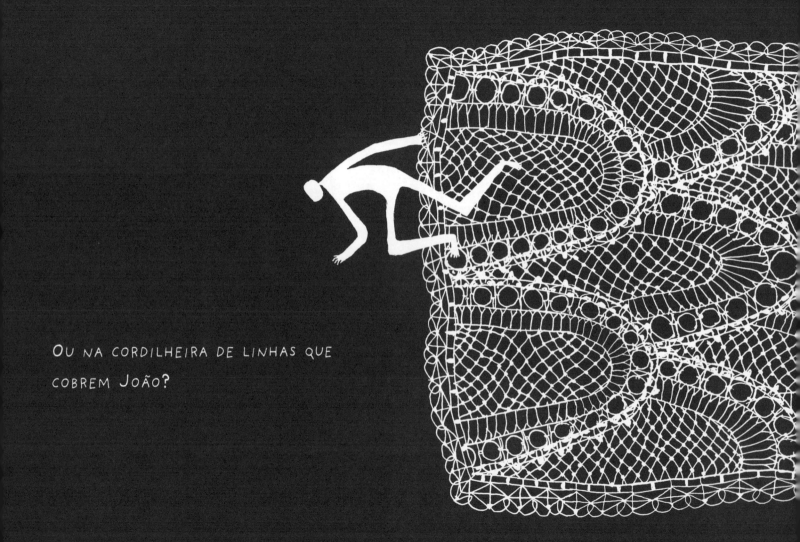

OU NA CORDILHEIRA DE LINHAS QUE

COBREM JOÃO?

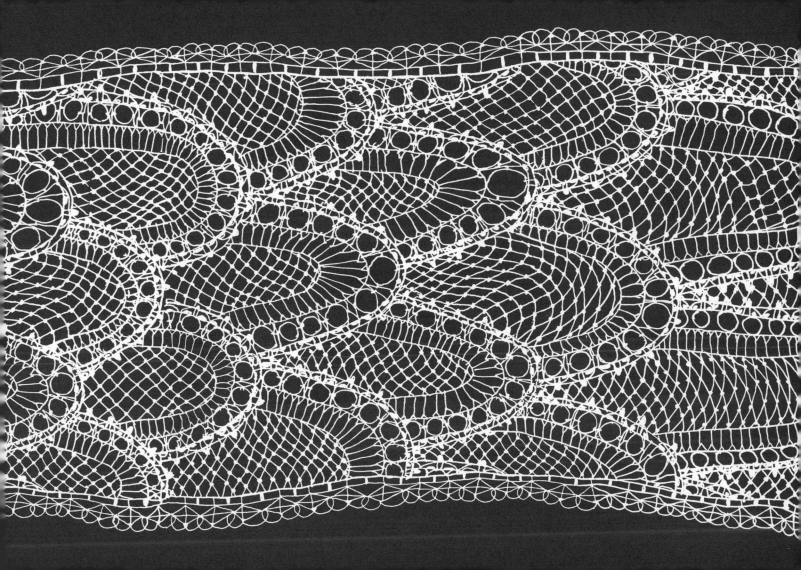

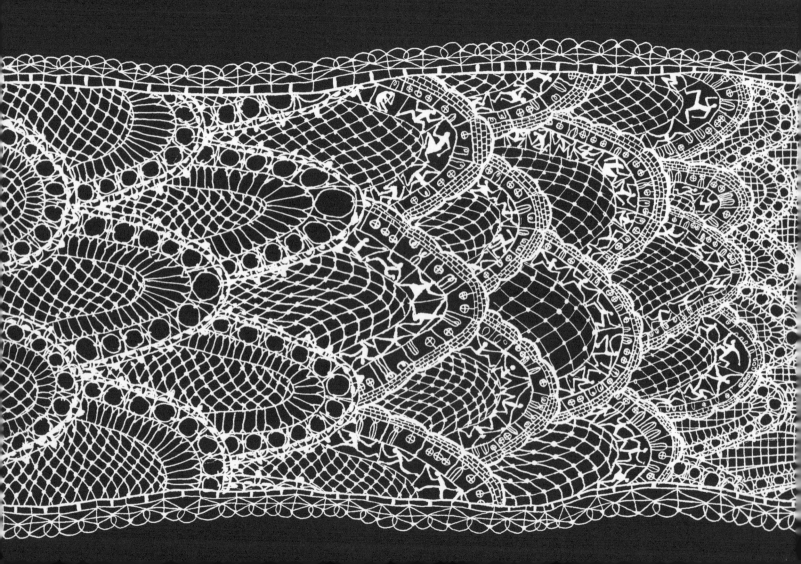

A brincadeira dos pés é fazer terremotos
debaixo da colcha.
Montanhas trocam de lugar com vales.
Enquanto isso, cidadezinhas de pano tentam
prever terremotos.
Quem tem medo de um gigante chamado João?

QUANDO É QUE O GIGANTE DORME?

QUANDO SEU PAI VAI PESCAR?

Se João cai no sono, com que paisagens ele sonha?
Rios macios? Lençóis d'água? Lagoas? Represas?
Sonhos molhados de medo?
E se o medo derrama, João é que abre a torneira?

JOÃO DEIXA ESCORRER
UM LAGO FEITO DE MEDO,
PARA GIRINOS E CONCHAS.
UM LAGO REDONDO
INUNDANDO O COLCHÃO.
PEIXES DESLIZAM MAIS QUE SABONETE.
QUE REDE SEGURA UM PEIXE
MAIOR QUE A GENTE?

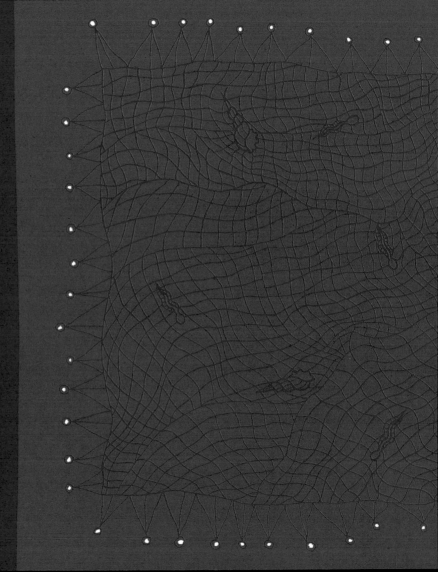

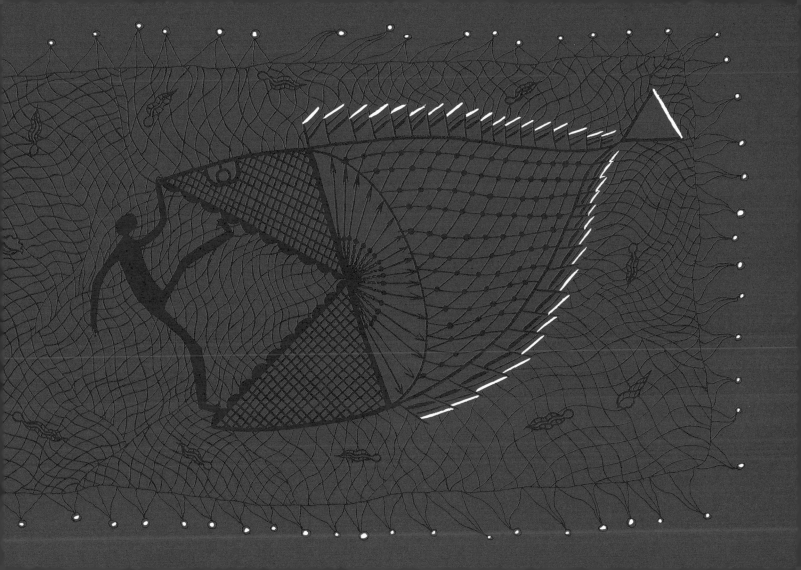

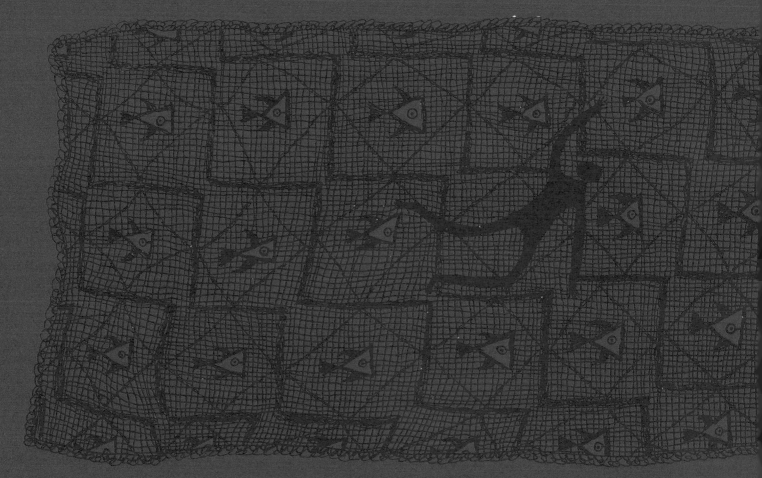

O PEIXE FUROU A TRAMA DA REDE.

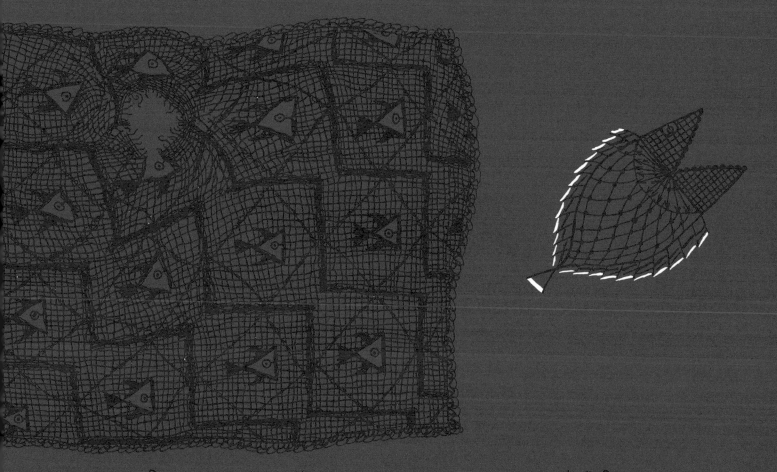

DE QUE TAMANHO É O FURO NA COLCHA QUE COBRE JOÃO?

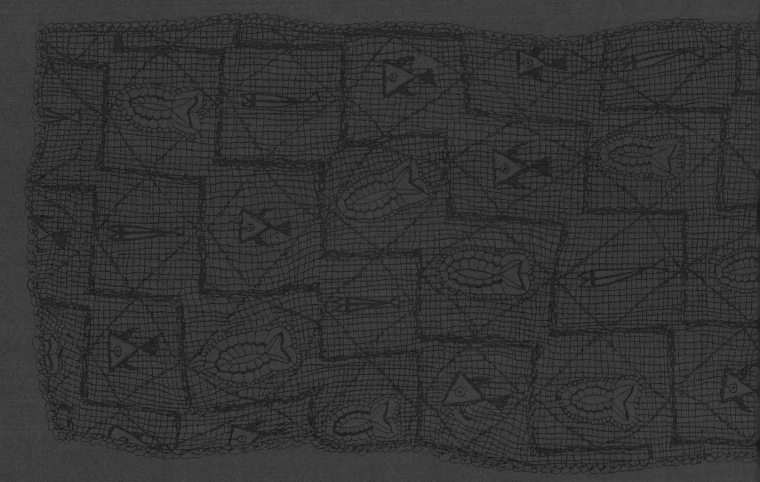

Um palmo? Dois palmos? Três metros?

Ou é do tamanho da cama?

Um furo engolindo tudo: bordados, caseados,

cordilheiras, barcos de junco.

Como se para um furo que não para?

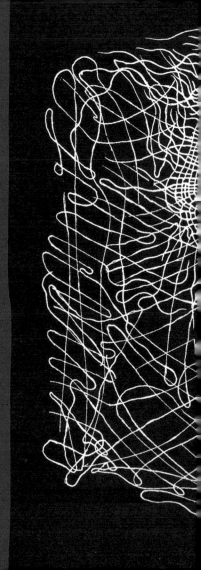

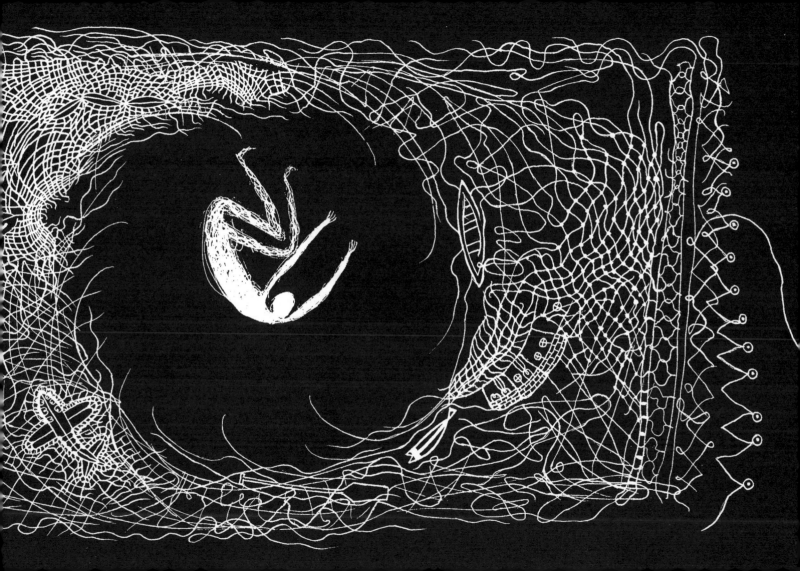

JOÃO ACORDOU NO SUSTO.

DE QUE TAMANHO É O VAZIO ONDE ANTES ESTAVA A COLCHA QUE COBRIA JOÃO?

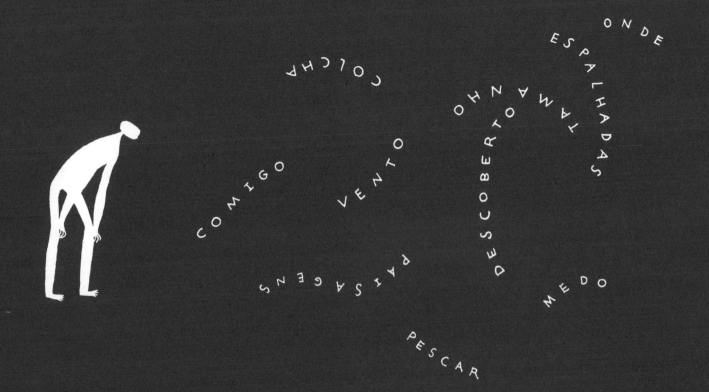

ONDE
ESPALHADAS
COLCHA
TAMANHO
DESCOBERTO
COMIGO
VENTO
MEDO
PAISAGENS
PESCAR

JOÃO SEM SONO NÃO SABE DORMIR DESCOBERTO.

TERREMOTOS

DEBAIXO

NINAR

CANTIGA

REPRESAS

SONHOS

AINDA

TENTAM

ESCORRER

MACIOS

CORDILHEIRAS

ENQUANTO

MOLHADOS

GIGANTE

ESCONDE

LINHAS

QUANDO

NOITE

SINOS

ACORDOU

BRINCADEIRA

CIDADEZINHAS

ISSO

ESPALHADAS NO CHÃO?

MOLHADOS PAISAGENS PEIXE TESTADOS DEBAIXO MEDO ANTES VAZIO

TRAMA NODAS NOITE ESPALHADAS

TERREMOTOS DORMIR ABERTA FEITO CASEADOS GIGANTE

LUGAR LAGOAS SOL QUE CIDADEZINHAS DESLIZAM BRINCADEIRA LINHAS

VENTO COMIGO MACIOS COLCHA QUANDO QUEM DE DESCOBERTO CORDILHEIRA BEIJA PESCAR

FUROU PANO BEIJO PALMO

SERÁ

FURO

FIO

JUNCO

COLCHÃO

SONIGIRO

REDE

BORDADOS DERAP

CAMA

BOCA

BORDADOS

WAPANOLUGARMONTANHASBOCAENGOLINDO

TAMANHOPÉS

COBRIA

TROCAM

COSTUROU PALAVRAS COMO RETALHOS NUMA COLCHA.

NA FALTA DE AGULHA, SERVE UM PONTO DE INTERROGAÇÃO?

ENQUANTO COSTURA, JOÃO INVENTA UMA CANTIGA DE NINAR.

De que tamanho é a colcha de palavras que cobre João?

Roger Mello

Ilustrador e escritor brasiliense, nasceu em 1965. Com vários trabalhos premiados, tornou-se hors-concours dos prêmios da Fundação Nacional do Livro Infantil e Juvenil (FNLIJ) e recebeu oito vezes o prêmio Jabuti. Em 2002, foi vencedor do prêmio suíço Espace-Enfants. Por sua obra como ilustrador, foi indicado para a edição de 2010 do prêmio Hans Christian Andersen, considerado o Nobel da literatura infantojuvenil. Pela Companhia das Letrinhas publicou, entre outros, Todo cuidado é pouco!, Meninos do mangue, Zubair e os labirintos, Em cima da hora e Carvoeirinhos.

ESTA OBRA FOI COMPOSTA EM PROVIDENCE SANS, TEVE SUAS IMAGENS ESCANEADAS POR CELSO GUBY E FOI IMPRESSA PELA GEOGRÁFICA EM OFSETE SOBRE PAPEL PAPERFECT DA SUZANO PAPEL E CELULOSE PARA A EDITORA SCHWARCZ EM AGOSTO DE 2012.

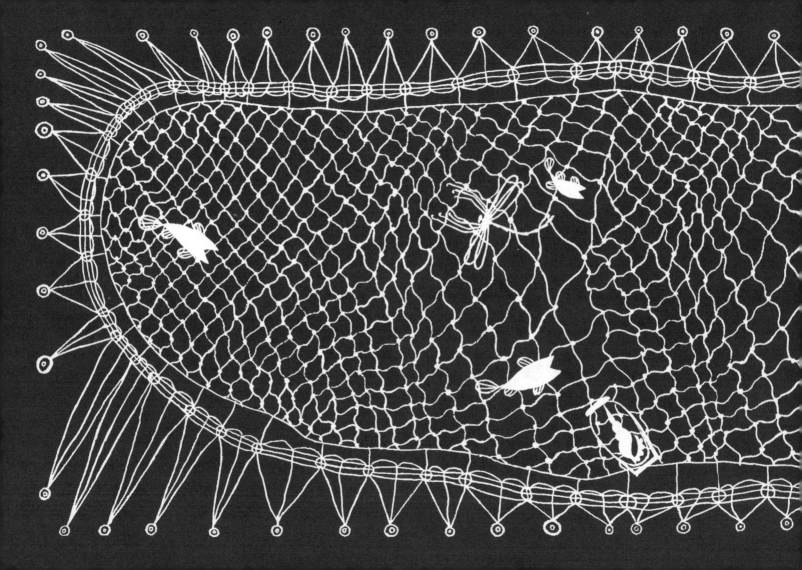